# De huiveringwekkende
# mythe van Perseus

D1431584

*Alsjeblieft,*
*dit boek krijg je cadeau*
*van je boekverkoper*

IMME DROS

# De huiveringwekkende mythe van Perseus
*Met tekeningen van Harrie Geelen*

Een uitgave van de
Stichting Collectieve Propaganda
van het Nederlandse Boek
ter gelegenheid van de
Kinderboekenweek 1996

*Luister en huiver, vrienden. Dit is de mythe van Perseus,*
*zoon van Zeus, de god van donder, bliksem en regen.*
*Perseus, die ontkwam aan de dood en aan duizend gevaren.*
*Perseus, die won van een wrede tiran en een bloedstollend monster.*
*Perseus, die niet geboren mocht worden en toch werd geboren.*
*Perseus, die – een paar weken oud – alleen met zijn moeder*
*ronddreef op zee in een lang niet zeewaardige kist, en landde*
*op het eiland Serifos, waar hij een man werd. Perseus,*
*die het slangenhoofd van Medusa er afsloeg. Perseus,*
*die, zoals het orakel voorspeld had, zijn grootvader doodde.*

Duizenden jaren geleden, toen de aarde nog plat was,
leefde er in Argos een koning die maar geen zoon kreeg.
Dat was lang geleden de grootste ramp voor een koning.
Zonder zoon geen opvolger, zonder zoon geen toekomst.
Dus de koning van Argos, die Akrisios heette,
bad tot de goden, bracht hun elke dag kostbare offers,
schapen, geiten, prachtige nachtzwarte stieren, en smeekte:
'Eeuwige goden daar hoog in de hemel, geef toch een teken.
Wat moet ik doen om een zoon te krijgen, zeg wat ik doen moet.
Elke bedelaar die ik brood geef heeft kinderen, elke
stumper, elke slaaf en elke slampamper heeft zonen.
Waarom ik niet? Ben ik dan niet vroom en vrijgevig?
Geef me een zoon en laat mijn naam niet verloren gaan later.'
Goden zijn onvoorspelbaar! De koning werd eindelijk vader,

maar het langverwachte koningskind was een dochter,
mooi als de morgen, lief als de lente en zoet als de zomer.
Maar een dochter. Akrisios treurde. Hij wilde zonen.
Zonen, zonen, zonen. Dus hij bleef aan het bidden.
Bleef aan het stieren offeren, bleef aan het aalmoezen geven.
Jaren gingen voorbij. Akrisios werd ongeduldig.
Kreeg hij een zoon of niet? Uiteindelijk ging hij naar Delfi,
navel van de wereld, de stad waar mensen uit alle
windstreken heen trokken om zich daar in de wereldberoemde
tempel de toekomst te laten voorspellen door een orakel.
Dat was raad van de goden door de mond van een priester.
Hier in Delfi zat een priesteres op een driepoot
boven een kloof, en uit de kloof steeg bedwelmende damp op.
Half in trance sloeg de priesteres haar voorspellende taal uit.
Meestal waren orakels vaag. Het kon vriezen en dooien.
Eens kwam een rijke koning naar Delfi voor een orakel.

Hij wilde weten of hij een oude vijand verslaan kon.
'Door de oorlog zal een machtig koninkrijk vallen,'
zei het orakel dubbelzinnig. De man trok ten strijde.
Pas toen zijn eigen rijk was verslagen zag hij de valkuil.
Maar Akrisios kreeg in Delfi een duidelijk antwoord:
'Jij zult geen zoon hebben maar een kleinzoon. Die zal je doden.'
Mensen kunnen beter niet weten wat er gaat komen.
Na het orakel lachte koning Akrisios nooit meer.
Zeker niet tegen zijn dochter Danaë. Zij kon geen goed doen.
't Allerliefst had de koning zijn dochter dood laten maken.
Maar hij was bang voor de goden en dus verzon hij iets anders.
Toen ze dertien jaar werd sloot hij haar op in een kerker
onder de donkere aarde, een vesting met bronzen deuren,
zwaarbewaakt door valse honden met vlijmscherpe tanden.
Daar moest Danaë leven en ongezien, ongetrouwd sterven.
Boven haar waren luchtgaten, lange, nauwe tunnels,

waar geen sterveling doorheen kon, enkel wat zonlicht.
Zelfs door de allerkleinste opening dringt nog wel licht door,
want de zonnegod Helios ziet en hoort altijd alles.
Maar de prinses zag niets, geen wolken, geen vogels, geen sterren.
En ze zag geen mannen, ze werd verzorgd door slavinnen.
Volgens Akrisios kon er zo geen kleinzoon van komen.
In zijn overmoed dacht hij dat hij het Noodlot kon tarten.
Mensen verbeelden zich slimmer te zijn dan de eeuwige goden.
Maar de goden laten zich niet door mensen misleiden.
Zeus, de hemelse heerser van regen, donder en bliksem,
hoorde herhaaldelijk van de zon hoe mooi de prinses was
die in Argos onder de donkere aarde moest wonen.
Want de zonnegod Helios ziet en hoort altijd alles.
Zelfs door de allerkleinste opening dringt nog wel licht door.
Zeus, de regenmaker, joeg zijn wolken naar Argos.
Door de lange, nauwe luchtgaten sijpelde regen.

Grijze regen vermengd met gouden vonkende druppels.
Druppels als kussen, zachte kussen, vurige kussen.
En een stem die Danaë kende en niet kende vleide:
'Ik ben Zeus, de god van donder, bliksem en regen.
Laat me je kussen met duizend kussen. Laat me je kussen.'
Danaë liet zich kussen door Zeus drie dagen, drie nachten.
Negen maanden later werd haar zoontje geboren.
Hoe kan iemand een zuigeling stil houden. Dat kan niemand.
Koning Akrisios hoorde hem huilen onder zijn voeten.
Woedend liet hij Danaë uit haar gevangenis halen.
'Wie is dat kind? Van wie is dat kind en wie is de vader?'
'Dit is Perseus, ik ben zijn moeder en Zeus is zijn vader.'
'Zeus de vader? Je zult mijn tweelingbroer zeker bedoelen.
Die heeft jou natuurlijk verleid. Om mijn land in te pikken!
Die heeft niet genoeg aan zijn eigen gebied, die wil alles.
Hij heeft zoons en nu legt hij ook nog beslag op mijn kleinzoon.'

(Koning Akrisios en zijn broer waren vechtend geboren,
vochten al in de schoot van hun moeder, haatten elkaar al
voor ze het licht zagen en ze vertrouwden elkaar voor geen vadem.)
't Allerliefst had de koning zijn dochter dood laten maken.
Maar hij was bang voor de goden, en dus verzon hij iets anders.
Door de scheepsbouwer liet hij met spoed een vaartuig ontwerpen.
Meer een kist dan een schip en groot genoeg voor twee mensen.
In het diepste geheim werd die kist naar de kust toe gereden.
Leeg was hij niet, want Danaë zat erin met haar baby.
Hoe ze ook snikte en smeekte, de kist werd te water gelaten.
Drie dagen dreef hij stuurloos rond en drie lange nachten.
Golven tilden hem op en lieten hem vallen, de planken
kraakten, het deksel lekte, de bodem werd vochtig, een felle,
ijzige wind blies meedogenloos hard door iedere kier heen.
En zoals wanneer een hinde omringd door de jagers
tot het laatst nog haar jong wil verdedigen – en ze beschermt het

met haar eigen lichaam – zo beschermde ook deze
moeder met haar eigen lichaam het kind in haar armen.
Zonder ophouden bad ze om hulp van de machtige vader:
'Zeus, laat je zoon niet verdrinken. Laat je zoon niet verdrinken.'
Zeus, de god van de donder, hoorde haar zwakke gestamel
helemaal op de berg Olympos waar zijn paleis staat.
En hij boog het hoofd, de onwereldse haren vielen
langs het gezicht van de god en de grote Olympos beefde.
Schielijk draaide de wind en duwde de kist naar het eiland
Serifos, waar hij aan land spoelde dicht bij het huis van de visser
Diktys en zijn vrouw, gastvrije, godvruchtige mensen.
Zij ontfermden zich over Danaë en haar zoontje.
Daar op Serifos groeide hij op, de godenzoon Perseus.

## 2

Diktys leerde de jonge Perseus alles van schepen,
zeilen en riemen en alles wat hij moest weten van water,
wind en stroming om een behoorlijke visser te worden.
Danaë wilde hem alles leren over de goden.
Daar had Perseus geen geduld voor. Hij protesteerde:
'Ik ga naar zee en ik hoef alleen Poseidon te kennen,
dat is de god van de zee, dat is de god van de vissers.'
'Maar je blijft geen visser, Perseus. Jij wordt een koning!
Koning van Argos. Koningen horen de goden te kennen.'
'Goed, vertel me dan maar de avonturen van Hermes.
Hermes is ook een god en die wint altijd, dat is spannend,'
eiste Perseus, maar zijn moeder bleef het proberen.
'Straks van Hermes. Luister nu, Perseus. Eerst was er Chaos.
Uit de Chaos is alles ontstaan... Zeg, luister je, Perseus?'

'Ja ik hoor het. Maar nu van Hermes. Nu weer van Hermes.'
'Straks van Hermes. Dit is belangrijk. Dit moet je weten.
Alles komt voort uit de grote, woeste, duistere Chaos:
Licht en Donker, Lucht en Water, Hemel en Aarde.
Vadertje Hemel en Moedertje Aarde kregen zes zonen
en zes dochters, we noemen die twaalf de Oudere goden
of de Titanen. Ze waren enorm en onnoemelijk machtig.
Een van hen is de vader van de zon en de maan, een
tweede is de wilde Okeanos die als een slang van
sissend, kolkend water de aarde scheidt van het onland.
Hij is de vader van alle zeeën en alle rivieren.
Luister je, Perseus? Wat is het laatste dat ik gezegd heb?'
'Over Okeanos. Nu moet je weer vertellen van Hermes.'
'Straks van Hermes. Elke prins hoort de goden te kennen.
Jij bent de erfgenaam van Akrisios, koning van Argos.
Wie niet weet hoe hemel en aarde vroeger ontstaan zijn,

en niets weet van de goden, kan niet regeren, dus luister:
Kronos, de jongste Titaan, verjoeg zijn vader, de Hemel,
greep de macht en was van plan voor eeuwig te heersen.
Daarom wou hij geen zoons, hij had zelf zijn vader verslagen!
Vijf van de kinderen die hij kreeg met Rheia, zijn zuster,
slokte hij na de geboorte op, twee zoons en drie dochters.
Rheia verzon een list: toen haar zesde kind was gekomen,
bracht ze Kronos een steen in zachte doeken gewonden:
"Grote Kronos, hier is ons jongste kindje, een jongen,"
zei ze. Kronos slikte de bundel ongezien door en
Rheia bracht haar zoon, die ze Zeus, de stralende, noemde,
veilig naar Kreta, waar een geit hem voedde en grootbracht.
Zeus trok ten oorlog tegen zijn vader zodra hij een man was.
Kronos werd verslagen en in de afgrond geworpen,
maar hij moest eerst zijn kinderen uitspugen, zonen en dochters.
Nu komt het allerbelangrijkste, Perseus, dit moet je onthouden:

Zeus werd na de Titanenstrijd de grootste gebieder,
god van de hemel, de wolken, de regen, donder en bliksem.
Broer Poseidon werd god van de zee en de sombere Haides
kreeg de onderwereld met de graflelieweiden,
waar de doden heen gaan als vage, doorzichtige schimmen.
Hij is rijk, het erts is van hem en het edelgesteente.
En de drie godinnen werden belangrijk voor mensen.
Want de wereld was intussen bevolkt en behalve
dieren, vogels en vissen waren er mensen gekomen.
Eerst het gouden mensenras, volmaakt en gelukkig.
Toen het zilveren, dat al minder was. Daarna het bronzen.
Rampen en oorlog bracht dat voort, corruptie en leugen.
Erger nog zou het ijzeren ras zijn, wreed en misdadig.
Dat bevolkt nu de aarde, dus het zijn treurige tijden.
Helden als vroeger toen mensen samen streden met goden
zijn er al lang niet meer. Van alles wat leeft op de aarde

en erop rondkruipt is niets zo arm en zo hulpbehoevend
als de mens en dat is de schuld van Epimetheus,
zoon van een Titaan. Hij mocht de gaven verdelen
op de aarde en hij begon maar meteen bij de dieren.
Tijgers gaf hij klauwen, vogels gaf hij vleugels.
Zelfs de wormen bedacht hij rijkelijk: als je ze doorsnijdt
leven de helften verder, maar toen hij tenslotte de mensen
ook iets wilde bieden, had hij geen gaven meer over.
Later gaf zijn broer Prometheus het vuur aan de mensen.
Daarvoor heeft Zeus Prometheus gestraft, hij hangt met ketens
aan een rots en een gier vreet de lever weg uit zijn lichaam.
's Nachts groeit de lever aan en overdag komt de gier weer.
Gruwelijk is de straf van de eeuwiglevende goden.
Zeus heeft kinderen bij godinnen, maar ook bij gewone
vrouwen. Hermes heeft bijvoorbeeld een aardse moeder.
Alle zonen van Zeus zijn sterk en beroemd en belangrijk.

Jij bent ook een zoon van Zeus, de god van de regen.
Denk daaraan wanneer je in nood bent. Zeus zal je helpen!'
'Ja, dat heb je al honderd keer gezegd. Nu van Hermes.
Als ik een zoon van Zeus ben, ben ik een broer van Hermes.
Hermes kan me ook wel helpen als ik in nood ben.
Dus het is heel belangrijk om te vertellen van Hermes,'
zeurde Perseus die een spannend verhaal wilde horen
en de rest wel geloofde. Zijn moeder vertelde van Hermes.
Hoe die werd geboren op de berg Kyllene,
waar zijn moeder een mooie grot had. Hoe hij de eerste
dag al zijn windsels afdeed en een schildpad doodde.
Hoe hij uit het schild de eerste lier wist te maken.
Hoe hij zichzelf leerde spelen tot de muziek hem verveelde.
Hoe hij 's middags de koeien stal van zijn halfbroer Apollo.
Hoe hij de vijftig koeien ergens verstopte, zijn windsels
netjes weer omdeed en onschuldig ging liggen slapen.

Hoe Apollo erachter kwam en de grot in kwam stuiven,
waarna Hermes hem suste door hem de lier aan te bieden.
Hoe hij later de snelle boodschapper werd van zijn vader,
hoe hij de waakhond Argos, die ogen achter en voor had,
doodde. Hoe hij de god werd van dieven en handelaars, hoe hij
reizigers hielp naar hun doel en doden geleidde naar Haides.
Perseus luisterde naar zijn moeder met stralende ogen.
Altijd wilde hij dat ze dezelfde verhalen vertelde.
Altijd over de slimme, handige, pijlsnelle Hermes.

# 3

Op het eiland Serifos heerste een machtige koning
die zijn volk onderdrukte en uitzoog, Polydektes.
Hij was de broer van Diktys en net zo slecht als die goed was.
Tegen de tijd dat Perseus een man werd kwam Polydektes
tijdens een jacht door het bos de lieftallige Danaë tegen.
Eerst dacht hij nog dat ze Artemis was, de godin van de jagers,
en hij viel voor haar neer. Toen hij merkte dat ze een mens was,
eiste hij dat ze zijn wettige vrouw werd. Danaë wou niet.
Wie de liefde van een god kent gaat met geen man mee.
Polydektes was razend, hij moest en zou Danaë hebben.
Maar hij zat met Perseus. Die beschermde zijn moeder.
Want de jongen was een beer van een kerel geworden.
Perseus was een struikelblok, Perseus moest verdwijnen.
Hoe, ja dat was de vraag. Maar de koning broedde een plan uit.

Dit was zijn list: hij liet omroepen dat hij een bruid had gevonden,
Hippodameia, de paardentemster, met dijen als zuilen.
En hij vroeg aan elke belangrijke man op het eiland
of hij een paard wou schenken als welkom voor Hippodameia.
Perseus had geen paard, dat wist Polydektes natuurlijk.
En hij tergde de jonge held waar iedereen bij was.
'Hindert niet, Perseus, de andere mannen geven al paarden.
Breng jij mijn bruid dan maar een vis uit een van je netten.
Vissers zijn arme sloebers, die hebben niets beters te missen.'
Perseus gaf de tiran in zijn woede een roekeloos antwoord:
'Laat de andere mannen de bruid plezieren met paarden.
Niet elke man kan de hartenwens van de bruigom vervullen.
Polydektes, ik haal voor jou het hoofd van Medusa.
Want ik weet dat je dat het liefst van alles wilt hebben.
Iedereen heeft je dat zeker honderd keer horen zeggen.'
'Perseus, jongen, doe het niet, dat lukt immers niemand,

zeker geen visser, je vangt Medusa niet met een hengel,'
riep de geslepen koning Polydektes schijnheilig.
Maar de zoon van Zeus beloofde vastbesloten:
'Als ik terugkom, kom ik terug met het hoofd van Medusa.'
Diktys was ontzet toen hij hoorde wat Perseus gezegd had.
'Maar Medusa is een van de woeste Gorgonen, mijn jongen,
monsters met drakenstaarten, enorme bronzen klauwen,
slagtanden als een wild varken, bekken om van te gruwen,
armlange tongen, vleugels zo groot als heuvels en schubben,
hard als steen waar geen pijlen, speren, zwaarden doorheen gaan.
Boven op hun hoofd staan geen haren maar giftige slangen.
Wie een Gorgo aankijkt versteent, en al dood je Medusa,
nooit ontkom je aan haar twee zusters: Gorgonen zijn sneller,
wendbaarder ook dan de gierzwaluw, snelste van al onze vogels.
Jongen, vergeet het, blijf thuis. O Perseus, denk aan je moeder.'
Perseus luisterde niet. Hij leende een boot, hij zocht roeiers,

stak van wal en koerste westnoordwest naar Athene.
Want Athene was de grootste stad van de wereld.
Daar wist vast wel iemand waar hij Medusa kon vinden.

## 4

Wie in het midden van Athene hard stond te roepen
kon met zijn stem een man bij de muren net nog bereiken.
Groter mocht die stad dus niet worden, dat zou een gevaar zijn.
Perseus keek zijn ogen uit. Wat een plein, wat een huizen,
wat een prachtige tempel, wat een machtig theater.
Dat er zoiets kon bestaan. En ach, wat een mensen.
Hier zou hij antwoord krijgen op zijn vraag, dat was zeker.
Maar op de drukke markt van Athene kon niemand hem helpen.
'Zei je Gorgonen? Gorgonen? Nee, dat zou ik niet weten.'
'Nee, je moet niet bij ons zijn. Ga dat maar vragen in Delfi.
Daar gaat iedereen heen en daarom zal het wel goed zijn.
Wie een vraag heeft en antwoord wil hebben gaat altijd naar Delfi.'
'Delfi, ga naar Delfi. In jouw geval ging ik naar Delfi.'
Delfi lag diep in het binnenland. Perseus kwam van een eiland.

Hij was niet gewend aan land waar je dagen doorheen trok.
Wie zo ver moest reizen was al oud voor hij raad kreeg.
Eindelijk kwam hij in Delfi aan. Hij ging naar de tempel.
'Zoek de mensen die brood bakken zonder graan te gebruiken,'
zong de priesteres en daarmee kon Perseus vertrekken.
Al die moeite, al die reizen voor een paar woorden
waar je met goed fatsoen geen touw aan vast wist te knopen.
Perseus was uitgeput en wanhopig. Zeus zag hem zitten,
helemaal vanaf de berg Olympos waar zijn paleis staat.
En hij boog het hoofd, de onwereldse haren vielen
langs het gezicht van de god en de grote Olympos beefde.
'Hermes, ga je halfbroer Perseus eens eventjes helpen.
Kijk, daar zit hij bij de heilige bronnen in Delfi,'
zei de god van donder en bliksem en Hermes vertrok al,
gleed van de bergen, passeerde een zee en belandde in Delfi,
waar hij vermomd als herder langs de heilige bron liep.

'Waarom zo somber, vreemdeling? Zeg eens, kan ik je helpen?'
vroeg hij glimlachend. Perseus zag een charmante jongen,
lenig en slank met het eerste dons op de kaken, hij peinsde:
als ik een broer had moest hij precies zo zijn als die jongen.
Zulke ogen moest hij hebben en net zo'n glimlach.
Hij vertelde van het orakel en Hermes gaf uitleg:
'Vreemdeling, dat is echt niet zo moeilijk, je moet naar Dodona.
Daar wonen mensen die eikels malen om brood van te bakken.
Reis naar Dodona en luister naar de Heilige Eiken.
Want de dondergod Zeus geeft raad in hun ruisende kruinen.'
Perseus bedankte hem, vatte moed en zette de reis voort,
dwars door vlakten en bergen naar het verre Dodona.
Wat een afstanden waren dat hier, er kwam haast geen eind aan.
Wie zo ver moest reizen was al oud voor hij raad kreeg.
Eindelijk kwam hij in Dodona. Onder de eiken
luisterde hij gespannen naar het zachte gefluister

hoog in de bladerrijke bomen. Hij spitste zijn oren,
maar hij hoorde niets over Gorgonen of hun verblijfplaats.
'Persseusss, ssstel je gerussst, Hermesss sself sssal je gidsss sssijn,'
klonk in het drukke gelispel van al die heilige blaadjes.
Dat was de vraag niet. Perseus bleef halsstarrig herhalen:
'Maar waar zijn de Gorgonen, waar wonen ze, Heilige Eiken?'
Tot de avond wachtte hij zonder succes op een antwoord.
Toen hij wegliep kwam hij Hermes weer tegen. De god zei:
'Perseus, Zeus heeft mij gestuurd om je verder te helpen.
Ik ben Hermes en ik ga mee op je volgende tochten.'
Perseus probeerde te praten maar zijn tong leek van ijzer.
Stom en bewegingloos bleef hij staan tot Hermes hem meetrok:
'Kom, we moeten verder, Perseus, we zijn er nog lang niet.
Voor je vraagt waar Medusa woont, moet je allereerst weten
waar de nimfen van het noorden wonen en daarvoor
moet je eerst weer weten waar de Grijzen wonen.

Als je dus had gedacht dat je heel wat afgereisd hebt,
ben je abuis. Nu begint het pas goed. We gaan naar het westen,
ver voorbij de witte bergen, de nachtzwarte stranden
helemaal naar de schemerkust van de Grijzen, drie zusters,
grijs geboren en met de dag grijzer. Let op mijn woorden,
deze drie Grijzen lijken zwak maar zijn levensgevaarlijk.
Als ze vrijen met jonge mannen worden ze mooier,
als ze het bloed van mannen drinken worden ze machtig.
Blijf uit hun buurt, blijf vooral uit de buurt van hun handen.
Samen hebben de Grijzen één oog. En één tand om te kauwen.
Maar ze hebben scherpe oren en horen haast alles.
Wacht tot ze bekvechten, daarna sluip je zachtjes hun grot in.
Grijp het oog als de ene Grijze het geeft aan de ander,
gris het weg uit haar vingers en dreig het ter plekke te koken
als ze je niet ogenblikkelijk zeggen wat je wilt weten,
namelijk waar de nimfen van het noorden nu wonen.

Deze nimfen trekken als rendieren, soms duurt het jaren
voor je ze aantreft, maar de Grijzen kennen het reisplan.
Zonder de hulp van de nimfen kun je Medusa niet doden.
Zij bezitten drie dingen waar je niet buiten kunt, Perseus:
vleugeltjesschoenen, tasje-van-alles, kapje-van-nergens.
Hier, van mij persoonlijk krijg je dit zwaard dat door steen gaat
én door de keiharde schubben rondom de nek van Medusa.
Ik blijf bij je tot je het hoofd hebt en dat is ook nodig.
Jij als sterveling zou de lange reis niet volbrengen,
nooit van je leven. Kom, we gaan eerst naar het duistere westen,
achter de witte bergen, achter de poort van de dromen.
Later gaan we dan ook naar het noorden, het hoge noorden.
Kom nu mee en kijk niet meer om, dan gaat de reis sneller.'
Perseus liet zich leiden door Hermes, en in zijn gezelschap
leken de dagen korter en de nachten langer.

## 5

As is grijs en de zee is grijs op een mistige morgen,
grijzer dan stof en grijzer dan ijzer zijn de drie Grijzen.
Perseus voelde zijn tong verdrogen, zijn bloed verbleken,
doodstil staarde hij in het verstikkende grijs van de zusters,
vogelachtige wezens met hoge, wazige schouders,
kromme halzen, grauwe handen met grijpgrage vingers
graaiend door het gruis op de grond voor het smeulende haardvuur,
tastend naar grauwe erwten gemorst uit de walmende kookpot.
'Zijn er geen erwten meer? Zijn er nergens erwten meer, zuster?
Jij hebt het oog, zeg op dan, liggen er ergens nog erwten?'
Grijze gezichten met één grote oogholte hoog in het voorhoofd,
grijze lippen, grijze tong tussen grijze tanden.
Perseus keek in het lege gezicht van twee zusters, de derde
zat met de rug naar hem toe als een razende erwten te eten.

'Geef me het oog, want nú is het mijn beurt. Geef me dat oog nou
'Nee, het is míjn beurt, jij had het pas nog, eerlijk is eerlijk.'
'Zit niet te zeuren. Ik heb er zelf nog niet eens door gekeken.'
Plotseling zwegen de kijvende stemmen en viel er een stilte.
'Hoor ik iets, zusters. Hoorde ik schuifelen daar bij de drempel?'
Perseus deinsde terug toen het oog zijn richting uit gluurde.
Doodstil, zonder adem te halen stond hij te wachten.
Wat een oog, een oog als een kwal en dát moest hij pakken,
hij, met zijn blote handen. Hij gruwde bij de gedachte.
Maar toen de ene ziende Grijze het oog uit de kas nam
greep hij het lillende ding uit de lucht zo snel als de bliksem.
Griezelend hield hij het grote, kille oog in zijn handpalm.
Maar de drie grijze zusters verdachten elkaar van de diefstal,
krijsten, sloegen, schopten. Vlogen elkaar in de haren.
Toen smeet Perseus met veel kabaal een steen in de kookpot.
'Stop met dat vechten, ík heb het oog. Als jullie niet zeggen

waar ik de noordernimfen kan vinden, gaat het de pan in,'
schreeuwde Perseus zo hard hij kon. De Grijzen verstijfden,
fluisterden samen en kwamen toen sluipend op het geluid af.
Plotseling waren ze eensgezind, ze wilden hem vangen,
want ze hoorden aan zijn stem dat hij jeugdig en sterk was,
maar ze kregen hem niet te pakken, wat ze ook deden:
kronkelen, kruipen, springen, zwaaien met armen en benen.
Alles vergeefs, ze zagen nu eenmaal niet waar ze liepen.
Perseus wist met groot gemak aan hun greep te ontkomen.
Eindelijk gaven ze op en vertelden hem waar hij naartoe moest.
'Achter de rug van de Noordenwind, daar vind je de nimfen.'
Perseus gooide het oog in een hoek en vluchtte de grot uit,
bang voor de gretige, lege gezichten van de drie Grijzen.
Samen met Hermes verliet hij het westen en trok naar het noorden.

## 6

Zonder hulp van een god vindt geen mens de weg naar het noorden
achter de rug van de wind, want de wind waait er hoog en kent de
mensen niet, de lucht is er ijl, het zicht heeft geen einde.
Perseus begreep niet waarom het zo snel ging, want als het licht was
trokken ze urenlang moeizaam door onherbergzame streken,
leek het niet op te schieten, maar de volgende morgen
waren ze tot zijn verbazing veel verder dan hij verwacht had.
Als hij sliep pakte Hermes hem op met matras en al en
vloog als een speer over ondoorwaadbaar diepe rivieren,
woeste bergketens, brede zeeën en duistere bossen.
En als de vroege, rozenvingerige Eoos te zien was
voor het licht werd, ontdekte Perseus bij het ontwaken
steeds een onherkenbaar landschap. Soms zei hij verwonderd:
'Hermes, toen ik ging slapen waren we toch in de bergen?'

Maar de god wist altijd wel een verklaring te geven.
'Gister, toen je ging slapen was het aardedonker.
Wat je voor bergen aanzag waren waarschijnlijk de wolken.
Donderwolken. Heb je niets gehoord van het onweer?'
Perseus niet, nee. Hij had geslapen. Hij sliep elke nacht goed.
Hermes vond altijd beschutte plaatsen en hout voor een vuurtje.
Ook aan voedsel was nooit gebrek, er was overal eten.
Waar ze ook kwamen, hoe dor en kaal het land er ook uitzag,
Hermes kwam met vissen, wild, gevogelte, vruchten.
Zelf at de god er geen hap van, hij snoof alleen maar wat rook op
boven het spit als Perseus een vette bout in het vuur hield.
Eindelijk kwamen ze aan bij de nimfen. Hermes kon eten.
Want daar stonden tafels vol nectar en ambrozijn, het
enige voedsel dat eeuwiglevende goden gebruiken.
Perseus hield van de nimfen van het noorden, ze waren
zorgeloos vrolijk als vogeltjes in het hart van de zomer.

Zelf viel hij ook in de smaak bij de nimfen. Ze wilden hem helpen.
Kon hij niet slagen zonder schoenen, tas en verdwijnkap?
Goed, dan mocht hij die allemaal lenen zo lang als hij wilde.
Kwetterend haalden de nimfen de drie geschenken tevoorschijn.
Eerst de sandalen met gouden vleugeltjes om mee te vliegen,
toen het tasje-van-alles dat paste om wat men erin deed.
En tot slot de kap die de drager onzichtbaar kon maken.
Perseus stond er wat onzeker mee in zijn handen.
Was het allemaal wel genoeg om een Gorgo te vellen?
Goed, zijn nieuwe zwaard ging door steen en keiharde schubben.
Goed, het hoofd kon hij vervoeren hoe groot het ook zijn mocht.
Goed, hij kon wegkomen dankzij de schoenen en de verdwijnkap.
Maar hoe moest hij een monster aanvallen dat hem versteende
voor hij dicht genoeg in de buurt was om het te doden?
Hoe kon hij mikken, richten en raak slaan zonder te kijken?
Altijd wat anders en zelden wat goeds, dacht de sombere Perseus.

En hij bad tot Zeus. De dondergod hoorde hem smeken
helemaal op de berg Olympos waar zijn paleis staat.
En hij boog het hoofd, de onwereldse haren vielen
langs het gezicht van de god en de grote Olympos beefde.
'Pallas Athene, ga naar het noorden om Perseus te helpen,
want je weet het, hij is mijn zoon. En jij bent mijn dochter,
helemaal alleen van mij – uit mijn schedel geboren,
speer in de hand, gehuld in een harnas. Je hebt wel geen moeder
maar je hebt broers genoeg en die moet je af en toe bijstaan,'
zei de god van donder en bliksem. Athene vertrok al.
En toen Perseus de volgende dag alleen door het bos liep
kwam hij Athene met de zeegroene ogen daar tegen.
In haar handen hield ze een schild dat glansde als water.
Zij, Athene, had zelf een monster gemaakt van Medusa.
Vroeger was dat een beeldschone nimf, maar ze sliep met Poseidon
god van de zee, in Athenes tempel. Zonder te vragen!

En toen Athene verhaal kwam halen deed ze nog grof ook.
Dat was de laatste druppel. Ze werd een Gorgo. Haar zusters
bleven Pallas Athene smeken de vloek op te heffen:
'Laat die arme Medusa weer op ons lijken, Athene!'
baden de mooie nimfen en ze offerden vlijtig.
Met een lachje dat weinig goeds voorspelde zei Pallas:
'Jullie zullen weer op elkaar lijken als drie druppels water.'
Daarna had ze ook de twee zusters in monsters veranderd.
Wie een eeuwige god beledigt heeft eeuwig ellende.
Met het schild in haar handen kwam Athene naar Perseus
en ze zei tegen hem, de godin met de zeegroene ogen:
'Kijk nooit rechtstreeks naar een Gorgo, kijk in dit schild en
zoek haar beeld, bedenk alleen dat rechts daarin links is.'
Perseus oefende ijverig voor het gevecht met Medusa,
richtte in het glanzende schild op bomen en rotsen.
Moeilijk genoeg, het kostte dagen voor hij iets raakte.

Verder moest hij vliegen leren. Met vallen en opstaan.
Hermes hield zijn hand vast en het duurde wel even
voor hij zijn evenwicht wist te bewaren bij starten en dalen,
voor hij recht vloog en een snelle wending kon maken.
Vliegen leek zo gemakkelijk als je vogels zag zwieren,
maar een gierzwaluw of een meeuw zou Perseus nooit worden.
Toen hij wat zekerder werd in het zweven en niet elke nimf meer
krom lag van het lachen als hij langs kwam laveren,
kondigde Hermes aan dat het tijd werd om te vertrekken.
En de vrolijke nimfen huilden luid bij het afscheid.

Goden en vogels zien de wereld anders dan mensen,
dat was wel duidelijk. Perseus begreep dat het leven beneden
niet zo belangrijk leek voor wie er van boven op neerkeek.
Schepen, steden, legers waren nietig als speelgoed.
Daarentegen had iemand die van beneden omhoogkeek
weer geen idee hoe vreselijk leeg en vluchtig de lucht was.
Perseus stond – de voeten iets uit elkaar of hij leunde
tegen de mast van een schip – op de ijverig wiekende schoenen.
Onder hem lag de vertrouwde, wonderlijk prachtige aarde,
zo onuitsprekelijk mooi, hij vergat haast waar hij naartoe moest.
Hermes niet, die koerste recht naar het huis van Medusa.
Ergens midden in zee is een rotsachtig, troosteloos eiland.
Schepen blijven er ver uit de buurt, want gevaarlijke rotsen
liggen als drakentanden voor de sombere kusten.

Golven slaan stuivend tegen de steile bergwand, een mistig
waas verbergt de diepe, ijzingwekkende klippen.
Wie daar na een schipbreuk nog levend aan land weet te komen,
wordt door geen sterveling meer teruggezien, die is verloren.
Perseus scheerde met Hermes over muren van water,
paarsblauwe golven rezen en kantelden onder zijn voeten.
Angstig greep hij de hand van de god die hem glimlachend meetrok
door een nauwe kloof naar het binnenland waar de monsters
woonden, verborgen voor de ogen van levende wezens.
Wie zich in hun buurt durfde wagen vertelde niet na hoe
gruwelijk lelijk de ongelukkige zusters wel waren.
Nooit vertoonden ze zich met opzet, ziek van schaamte
kropen ze weg in gewelfde grotten. Zo moesten ze leven,
deze vroeger zo mooie dochters van Forkys, de zeegod.
Want Medusa had in haar overmoed, omdat Poseidon
haar begeerde, de boze Athene tegengesproken,

maakte geen excuses en pochte op haar verhouding.
'Als Poseidon mij trouwt dan ben ik je tante, Athene.
Hij heeft meer macht dan jij, dus zanik niet over die tempel.'
Hoogmoed komt voor de val, laat mensen dat heel goed beseffen!
Hoe men ook uitblinkt, toch blijft bescheidenheid altijd geboden.
Goden worden ze nooit, dat willen ze maar niet begrijpen.
Want zoals wanneer een kostelijk maal wordt bedorven
als van veel op zichzelf uitstekende ingrediënten
één bij toeval in het verkeerde gerecht terechtkomt,
(zoet maakt soep oneetbaar, zout maakt wijn ondrinkbaar
en men spuugt vol afschuw uit wat bijna volmaakt was),
zo kan een enkele foute trek al het goede tenietdoen
dat een sterveling meekreeg. Goden haten hoogmoed
en het was voor haar hoogmoed dat Medusa moest boeten,
ook al was ze een nimf en de dochter van Forkys, de zeegod.
In hun ellende hadden de zusters een enkele troost, ze

deelden hetzelfde lot en hielden elkaar gezelschap.
Zusters hebben een sterke band in haat of in liefde.
Dicht bij de grot van de drie Gorgonen zag Perseus veel beelden,
levensechte figuren van wilde dieren en mensen,
kunstwerken, meende hij. Maar alle lichamen, alle ogen
drukten ontzetting uit, alle monden leken te schreeuwen.
En hij begreep dat het slachtoffers waren van de gezusters.
Uit de grot klonk gesnurk, de Gorgonen bleken te slapen.
Daar had Hermes voor gezorgd met zijn gouden staf die
ogen open tovert of dicht, de staf waarmee hij
ooit de waakhond Argos, die ogen achter en voor had,
in een honderdvoudige slaap bracht; al zijn er stemmen
die beweren dat Hermes de hond in slaap kreeg met lange,
saaie verslagen van een vergadering op de Olympos.
Hermes vertelde Perseus hoe men Medusa herkende.
Heel belangrijk: zij was de enige Gorgo die dood kon,

want Athene gaf de twee zusters het eeuwige leven.
Of dat een straf of een gunst was? Daarover valt nog te twisten.
Perseus greep het zwaard dat door steen ging, zocht in het glanzend
schild de Gorgo met rossige schubben, dat was Medusa,
vloog tot boven haar kruin met de kluwen van sissende slangen,
richtte, hief het zwaard en sloeg de gepantserde nek door.
Zoef. Toen het hoofd eraf lag gingen de ogen open,
en hun gruwelijk starende blik trof een bloeiende roos die
dadelijk met een keiharde klap van de struik op de grond viel.
Daardoor werden de beide andere zusters wakker.
Maar uit het morsdode lichaam werden twee wezens geboren,
eerst kwam Pegasos, het vliegende paard, toen een krijgsman,
zwaaiend met een kromzwaard. Kroost van de zeegod Poseidon.
Even werden de tantes afgeleid door de geboorte.
Perseus nam zijn kans waar, hij stopte het hoofd van Medusa
in de tas en trok de verdwijnkap over zijn oren.

Weg was de held. De Gorgonen konden hun zuster niet wreken, want ze hadden niet eens het nakijken, Perseus was nergens, licht in licht en lucht in lucht en nevel in nevel.

## 8

Daar zwierde Perseus triomfantelijk over de golven,
sneller dan de wind, sneller dan een gedachte.
Hermes zag het hoofdschuddend aan: succes is gevaarlijk.
Dus de god liet Perseus voor zijn eigen bestwil
af en toe uit de bocht vliegen, botsen tegen een zeemeeuw,
struikelen over zijn eigen voeten, omslaan en vallen.
Niets is zo heilzaam voor zelfingenomen mensen als vallen.
Wie een paar keer omvalt, kijkt in 't vervolg uit zijn doppen.
Zonder woorden gaf Hermes de jongen een wijze les mee:
laat triomf vooral niet tot onvoorzichtigheid leiden.
Toen de jongen gelouterd was door wat stevige smakken,
toonde de god hem de hele wereld en bovendien de
onderwereld, waar levende mensen nooit mogen komen.
Daarna vertrok hij, de god had het druk met andere dingen.

Toen hij alleen was werd Perseus zonder reden onzeker.
Angstig hield hij zijn vaart in, de wind kreeg de stakker te pakken,
blies hem van oost naar west, van noord tot ver in het zuiden.
En zoals wanneer in de herfst een blad van de tak waait –
licht is het, krachteloos, stuurloos, het dwarrelt met iedere wind me
lager steeds lager totdat het uiteindelijk neervalt; de zwarte,
vochtige aarde zuigt het vast, nooit zal het meer zweven –
zo kwam ook Perseus akelig dicht bij het eind van zijn vliegtocht.
Bijna was het te laat, maar de dondergod Zeus stuurde duiven,
snelle vogels, zijn eigen boodschappers, zij vingen Perseus,
zetten hem recht en droegen hem weg op hun krachtige vlerken.
Boven Ethiopië had de held zich hersteld en
vloog op eigen kracht verder tot aan de havenstad Joppa.
Joppa, een rijke, machtige stad, werd toen geregeerd door
koning Kefeus die getrouwd was met Kassiopeia.
Deze ijdele vrouw had geroepen dat zij en haar dochter

mooier waren dan de zeenimfen. Dat liet Poseidon
niet zomaar zeggen, hij pakte zijn drietand en woelde de zee om.
Kolkend rees het donkere water. Er kwam een vloedgolf,
huizen en tempels spoelden weg, de mensen verdronken.
Kefeus vroeg een orakel hoe hij zijn rijk nog kon redden.
'Offer je dochter Andromeda, keten haar vast aan de rots als
voer voor het gulzige zeemonster dat Poseidon zal sturen.
Dan zal de zee bedaren en Joppa niet verder verzwelgen,'
luidde de raad. De koning weigerde eerst, maar de zee bleef
vreten aan de stad en tenslotte werd Kefeus gedwongen
toe te geven. Prinses Andromeda werd dus geofferd.
Juist toen Perseus overvloog stond het meisje te wachten
tot het monster uit zee haar met huid en haar zou verslinden.
Perseus werd voor het eerst van zijn leven verliefd, dus hij zocht de
wettige vader op om een bindende afspraak te maken:
'Als ik Andromeda red dan wil ik wél met haar trouwen.'

Kefeus knikte, nood breekt wet. Dat het meisje verloofd was,
zei hij er even niet bij, en haar aanstaande man bleek trouwens
weggevlucht uit angst voor het water. Dus dat was geregeld.
Perseus wachtte met getrokken zwaard het gedrocht op.
Vreselijk was het gevecht, maar uiteindelijk haalde de held het
hoofd van Medusa uit de tas en de blik uit haar ogen
maakte direct een lelijk ogende rots van het monster.
Nu was Joppa in last want Perseus eiste de bruid op,
maar de man met de oudste rechten kwam met een leger.
Om een lang verhaal kort te maken: het hoofd van Medusa
deed weer goede diensten want iedere vijand versteende.
Perseus en Andromeda trouwden diezelfde dag nog.
Hij hield van haar en zij hield van hem dus ze waren gelukkig.
Tien dagen duurde het feest van de grote bruiloft in Joppa.
Iedereen at en dronk en was vrolijk. Er kwamen beroemde
zangers en acrobaten buitelden tussen de tafels.

Elke middag waren er prachtige prijzen te winnen:
gouden bekers, beroemde wapens, vurige paarden,
want natuurlijk werden er sportwedstrijden gehouden.
Jonge atleten maten zich om de eer in het rennen,
worstelen, discuswerpen en in het mennen van paarden.
Perseus deed mee. Op Serifos had hij weinig gereden,
Diktys bezat geen eigen paard, maar het wordt wel gezegd dat
schepen de renpaarden zijn van de zee en Perseus wist zelfs bij
zware stormen zijn schip in een veilige haven te krijgen.
Daarom sloeg hij toch geen slecht figuur, hij werd vierde.
Zeilen, roeien en trekken aan zware netten maken
armen en schouders gespierd en Perseus gooide de discus
verder dan het sportveld lang was. Dat wekte verbazing.
Na het laatste feestmaal vroeg de koning zijn schoonzoon:
'Perseus, zeg eens, waar kom je vandaan? En wie zijn je ouders?
Welke god laat jou als een vogel het luchtruim doorklieven?

Hoe is het mogelijk dat je de Gorgo Medusa kon doden?
Waar komt je spierkracht vandaan? Wat heb je gezien op je reizen?
Kom, de nacht is nog jong, we hoeven nog lang niet te slapen.
Meng de wijn en laat de schenker de wijnbekers vullen.'
Perseus begon zijn vreemde verhaal en de gasten zaten
ademloos in de grote zaal vol bewegende schaduw,
zonder dat hun oogleden zwaar werden. Perseus vertelde.

9

'Grote koning Kefeus, machtige heerser van Joppa,
eigenlijk kom ik uit Argos, mijn grootvader is daar de koning.
Later zal ik de kroon en de skepter van Argos bezitten,
want mijn bejaarde grootvader heeft geen andere erven.
Tot die tijd staat mijn huis op een eiland, Serifos heet het.
Polydektes, de heerser van Serifos, daagde me uit het
hoofd van Medusa te halen. Dus ik ging naar de haven,
leende een schip, zocht roeiers en zette koers naar Athene.
Daarna reisde ik over land naar de grote orakels,
eerst naar Delfi, toen naar Dodona, dat bracht me niet verder.
Hermes kwam me te hulp. Hij bracht me eerst naar de Grijzen.
Door hun enige oog af te pakken kon ik hen dwingen
ons de weg naar de nimfen van het noorden te wijzen.
Deze nimfen trekken als rendieren, soms duurt het jaren

voor je ze aantreft, maar de Grijzen kennen het reisplan.
Zonder de hulp van de nimfen kon ik Medusa niet doden.
Want ik had dríe dingen nodig, die ze me graag wilden lenen:
vleugeltjesschoenen, tasje-van-alles, kapje-van-nergens.
Hermes zelf gaf bovendien dit zwaard dat door steen gaat
en door de keiharde schubben rond de nek van Medusa.
Van Athene kreeg ik een schild zo glanzend als water,
daarin moest ik Medusa zoeken, ik mocht haar niet aanzien.
Anders zou haar blik mij versteend hebben, net als de arme
zeelui die ik aantrof voor de grot op haar eiland.
Hermes had me uitgelegd hoe men Medusa herkende.
Heel belangrijk: zij was de enige Gorgo die dood kon.
Toen we aankwamen lagen de zusters ronkend te snurken.
Dus ik greep het zwaard dat door steen ging, zocht in het glanzend
schild de Gorgo met rossige schubben, dat was Medusa,
vloog tot boven haar kruin met de kluwen van sissende slangen,

richtte, hief het zwaard en sloeg de gepantserde nek door.
Zoef. Toen het hoofd eraf lag gingen de ogen open,
en hun gruwelijk starende blik trof een bloeiende roos die
dadelijk met een keiharde klap van de struik op de grond viel.
Daardoor werden de beide andere zusters wakker.
Maar uit het morsdode lichaam werden twee wezens geboren,
eerst kwam Pegasos, het vliegende paard, toen een krijgsman,
zwaaiend met een kromzwaard. Kroost van de zeegod Poseidon.
Even werden de tantes afgeleid door de geboorte.
Daardoor kon ik ontkomen, ik stopte het hoofd van Medusa
in de tas en trok de verdwijnkap over mijn oren.
Weg was ik zonder weg te zijn, onzichtbaar, onvindbaar,
licht in licht en lucht in lucht en nevel in nevel.
Hermes voerde me mee en hielp me de tas om te hangen,
samen vluchtten we toen tot op duizelingwekkende hoogte.
Onder me zag ik de aarde liggen, rond als een discus

binnen de stroom van de woeste Okeanos. Ver in het noorden
kon ik het land van de nimfen bespeuren. Ik zag in het zuiden
Ethiopië dat zich uitstrekt van oost naar west en
Delfi zag ik, de navel der wereld, precies in het midden.
Oostelijk lag de woning van de dageraad: Eoos.
Dicht bij Eoos wonen Zon en Maan, haar broer en
zuster. Helios stuurt zijn gouden zonnewagen
pas de hemel in, als Eoos met rozige vingers,
vóór het licht wordt, de nieuwe dag heeft aangekondigd.
Daarna rijdt hij van oost naar west met zijn vurige paarden.
's Nachts komt hij langs de Okeanos snel terug naar het oosten.
Hermes wees ook de plaats waar Atlas de hemel omhooghoudt
boven de aarde, een eeuwige straf, omdat Atlas
tijdens de oorlog van de Titanen niet voor Zeus koos.
Bij zijn voeten staat een boom met gouden appels.
Atlas weert uit angst voor diefstal iedere gast af.

58

Toen hij Hermes en mij zag aankomen en ons verjoeg, toen
kwam ik in de verleiding om hem voorgoed te verstenen.
Maar onze vaart was te groot, we vlogen al boven Egypte.
Boven Cyprus waar Afrodite, de liefdesgodin, woont.
Boven de witte bergen van Kreta. Boven het eiland
Rhodos, de rozentuin van Helios. Boven het eiland
van de sirenen die zingen op hun bloemetjesweiden
boordevol witte skeletten en knekels. Die zingende zusters
weten immers met zoete, verleidelijk klinkende stemmen
zeelui te lokken. Iedereen hoort daar wat hij wil horen.
Minder gevaarlijk is het gezang van de Muzen, de negen
dochters van Zeus en Herinnering, op de berg de Parnassos.
Dikwijls zijn ze te vinden op de hoge Olympos
waar het paleis van Zeus staat boven slingers van wolken.
Als de Muzen zingen, lachen de eeuwige goden.
En ik zag de drie Moiren het lot van de mensen bepalen.

Eentje spint de draad van hun leven, de tweede meet de
lengte en de derde knipt zonder genade de draad door.
Ieder mens krijgt bovendien een persoonlijk doodslot,
dat wordt meegetwijnd in de draad. Ik wilde wel weten
wat er met mij zou gebeuren, maar we vlogen al verder.
Over viooltjeskleurige zeeën, grazige weiden.
Over graanvelden, bergkammen, dalen, donkere bossen.
Over steden van mensen die andere talen spreken.
Over de wilde Okeanos waar haast geen schip overheen komt.
Over de kusten met bloesems die afvallen voordat ze bloeien.
Over het Schemerland. Over het Ontijland. Over het Nachtland.
Tot we aankwamen op het punt waar elke reis eindigt.
En ik zag het huis met de brede poorten. De Haides.

## 10

Nergens is het water zo diep als daar waar het water
levenden scheidt van doden. Vijf rivieren stromen
tussen ons en de arme, ongelukkige schimmen.
Toen ik keek naar de graflelieweiden leek het alsof ik
net als bij de Gorgonen keek in een spiegelend schild, maar
buiten dat schild was niets van wat er weerkaatst werd. Ik zag de
beelden van mensen, maar de mensen zelf waren nergens.
En ik zag die schimmen van nergens aanwezige mensen
wankelen over de weiden en zich aanmelden bij de
ingang waar de Hond zat. Hij liet de schimmen passeren,
maar als er een naar buiten wou schudde hij met zijn drie koppen.
Of ze nu oud waren, of ze nu jong waren, binnen was binnen.
Daar in de diepte heersen Haides en Persefoneia.
Zij, het kind van Demeter, godin van de vruchtbare aarde,

werd op een dag in de lente ontvoerd door de sombere Haides.
Plotseling spleet de grond voor haar voeten, een zwarte wagen
reed uit de afgrond, getrokken door zwarte paarden aan zwarte
teugels, in toom gehouden door een man in een zwarte
mantel, een man met zwarte haren. Hij tilde haar naast zich,
keerde de snuivende paarden en stormde terug in het donker.
Achter hem sloot de aarde als water. Ze waren verdwenen.
Dagenlang liep Demeter radeloos rond en ze riep maar:
"Persefoneia? Persefoneia, geef me toch antwoord."
En ze vroeg aan alle goden en alle mensen:
"Hebben jullie mijn dochter gezien, mijn Persefoneia?"
Helios, god van de zon, was de enige die het wou zeggen
toen Demeter hem opzocht. Hij kon het moeilijk verzwijgen.
"Helios, jij kunt alles zien en alles horen.
Zeg wat je weet, en zweer bij de Styx dat wát je zegt waar is,"
eiste Demeter en de zon bracht eerlijk verslag uit.

"Goed dan, Demeter, ik zal je vertellen wat ik gezien heb.
En ik zweer bij de Styx dat wat ik je zeggen ga, waar is.
Persefoneia plukte geurige, kleine narcissen,
mensen noemen die Witte Meisjes. Ze dwaalde steeds verder,
steeds maar verder van haar verzorgster en haar vriendinnen.
Plotseling spleet de grond voor haar voeten, een zwarte wagen
reed uit de afgrond, getrokken door zwarte paarden aan zwarte
teugels, in toom gehouden door een man in een zwarte
mantel, een man met zwarte haren. Hij tilde haar naast zich,
keerde de snuivende paarden en stormde terug in het donker.
Achter hem sloot de aarde als water. Ze waren verdwenen.
Dat heb ik zelf gezien. Je dochter is in de Haides."
Toen ze dat hoorde trok de godin zich terug in een tempel.
Zonder eten, zonder drinken zat ze te staren,
treurend om haar kind, haar dochter, haar Persefoneia.
Buiten verdorde de aarde, de mensen stierven van honger.

Akkers brachten geen graan op, bomen droegen geen vruchten.
Zeus stuurde alle goden een voor een naar Demeter.
Als ze niet snel terugkwam was de mensheid verloren,
zou de wereld tot stof vergaan, zou er niets overleven.
Maar Demeter luisterde niet. Demeter kwam niet.
Toen stuurde Zeus de snelle Hermes op weg naar de Haides.
Daar zaten Haides en de jonge Persefoneia
dicht bij elkaar op gouden, kunstig bewerkte zetels.
Hermes begroette zijn rijke oom en zei wat hij doen kwam:
"Zeus, de dondergod, stuurt me om Persefoneia te halen."
Haastig sprong het meisje op en ze vloog al naar Hermes.
Want ze verlangde naar haar moeder en ze had heimwee.
Haides wist dat er niets aan te doen was. Zeus is de grootste,
zijn wil is wet en alle goden moeten die volgen.
Maar bij het afscheid liet hij de jonge Persefoneia
eten van de granaatappel die tot slaaf maakt en smeekte:

"Denk niet al te onvriendelijk over me, wees niet beschaamd dat
ik je man ben, ik ben de rijkste van alle goden.
Kom weer bij me terug wanneer je Demeter gezien hebt."
Diep, zo diep was zijn stem. Haar lippen begonnen te beven.
En toen ze van hem wegliep keek ze over haar schouder.
Hermes bracht haar met de wagen van Haides in volle
vaart naar de tempel van Demeter. Innig gelukkig
sloot de godin haar dochter in de armen. Maar toen ze
hoorde van de granaatappel wist ze dat het te laat was,
dat haar dochter ondanks alles niet bij haar zou blijven.
Wel liet Zeus zijn broer beloven dat Persefoneia
ieder jaar een tijdlang bij haar moeder mocht wonen.
Haides legde de eed af en laat haar elk jaar vertrekken.
Dan is het lente op de wereld, dan is het zomer.
Maar in de winter is Persefoneia onder de aarde
bij haar man en samen heersen ze over de schimmen.

Aan de rand van de Tartaros, dat is de diepste diepte,
huizen de wraakgodinnen, die mensen blijven vervolgen
als ze misdaden hebben gepleegd. Hun tronies en klauwen,
ijselijk om te zien, zal ik nooit meer kunnen vergeten.
Monsterlijk lelijk zijn ook de Harpijen, snel als de stormwind
vliegen ze rond om de doden te kwellen, de mensen te tergen.
Hoofden als vrouwen hebben ze, lijven en vleugels als vogels,
klauwen als tijgers. Wanneer een mens een god heeft beledigd
komen de wrede Harpijen. Zij bevuilen zijn voedsel,
schijten op zijn bord en pissen in zijn beker.
Tot hij sterft van de honger aan propvolle, stinkende tafels.
En ik zag Slaap en zijn broeder Dood in de verste verte
wandelen bij de poorten waar alle dromen door komen.
(Dromen uit de ivoren poort zijn niet te vertrouwen,
maar de dromen uit de benen poort zijn waarachtig.)
En ik zag er de schimmen van mensen die ooit in hun hoogmoed

meenden dat ze goden waren erbarmelijk lijden.
Zo zag ik Tantalos, die met de goden mocht eten, hij roofde
nectar van hun bord en verraadde hun diepste geheimen.
Maar hij werd gestraft door de woedende goden, voor eeuwig
lijdt hij honger en dorst. Hij staat tot zijn kin in het water
en als hij drinken wil, zakt het de grond in. Vlak voor zijn ogen
bungelen druiven, peren, olijven, granaatappels, maar de
wind waait ze weg zodra de ziel er een vinger naar uitsteekt.
Ook zag ik koning Sisyfos die zo vreselijk sluw was
dat hij de Dood wist te vangen en met kettingen vastbond,
waarna niemand meer stierf al lag zijn hoofd voor zijn voeten.
Hij moet eeuwig zwoegen, hij duwt een loodzwaar rotsblok
moeizaam omhoog langs een berg en als hij haast bij de top is
kan hij het niet meer houden en dendert de steen naar beneden.
Dan begint het opnieuw, de pijn, de hoop, de mislukking.
En ik zag de Danaïden, negenenveertig

dochters van mijn voorvader Danaos, water dragen
naar een groot en bodemloos vat in lekkende kruiken.
Deze vrouwen doodden hun man in de nacht na de trouwdag.
Toen ik de arme schimmen de lekke kruiken zag slepen
werden mijn ogen blind van de tranen, ik kon het niet aanzien.
En ik werd bang voor alles wat mijzelf kon gebeuren.
Plotseling wilde ik weg en het liefst zou ik alles vergeten
wat ik daar gezien heb onder de donkere aarde.

## 11

Hermes nam me bij de hand en bracht me naar boven.
Daarna vertrok hij, de god had het druk met andere dingen.
Toen ik alleen was werd ik plotseling zomaar onzeker.
Angstig hield ik mijn vaart in, duikelde ondersteboven,
raakte in paniek en schopte woest met de schoenen.
En zoals wanneer in de herfst een blad van de tak waait –
licht is het, krachteloos, stuurloos, het dwarrelt met iedere wind mee,
lager steeds lager totdat het uiteindelijk neervalt; de zwarte,
vochtige aarde zuigt het vast, nooit zal het meer zweven –
zo raakte ik ook akelig dicht bij het eind van mijn vliegtocht.
Bijna was het te laat, maar de dondergod Zeus stuurde duiven,
snelle vogels, zij droegen me weg op hun krachtige vlerken.
Boven Ethiopië had ik mezelf weer hersteld en
vloog op eigen kracht langs de kust. Ik rustte in Chemnis.

En in Chemnis werd ik ingehaald of ik een god was.
Want daar hield men mijn voorvader Belos nog altijd in ere.
Niets was te goed voor mij, ze gaven mooie geschenken,
offerden stieren, hielden feesten en organiseerden
sportwedstrijden waarbij men kostbare prijzen kon winnen.
Heel uizonderlijk: wedstrijden kende men niet in Egypte,
dat was alleen ter ere van mij, om mij te plezieren.
En ze wilden een tempel voor me bouwen, ze wezen
waar het heiligdom zou komen en ze beschreven
hoe het werd: op een vierkant stuk grond omringd door palmen
zou een stenen toegangspoort komen met grote kolossen
links en rechts en in de tempel zou dan mijn beeld staan.
En ze beloofden de wedstrijden ieder jaar te herhalen.
Bij het afscheid hebben we stromen van tranen vergoten.
Onderweg naar Serifos dreef een storm me naar Joppa.
En wat daar gebeurde hoef ik niet te vertellen.'

Perseus zweeg en de gasten begonnen zich weer te bewegen,
ademloos hadden ze zitten luisteren naar zijn verhalen.
Koning Kefeus liet de schenker nog een keer rondgaan,
daarna vertrok elke gast naar zijn eigen huis om te slapen.
Maar de koning sliep in het paleis naast Kassiopeia
en Andromeda deelde het bed met haar bruidegom Perseus.

12

Als het goud niet bewaakt wordt, wrijft de dief in zijn handen.
Hoe was de toestand intussen op Serifos? Niet al te gunstig.
Toen de sterke Perseus zijn hielen eenmaal gelicht had,
was zijn moeder, de mooie Danaë, niet langer veilig.
Want het bleek algauw dat Polydektes geen bruid had.
Dat hij had gelogen om Perseus het land uit te krijgen.
En hij achtervolgde Danaë met de bedreiging:
'Als je niet met me meegaat maak ik je dood en mijn broer ook.
Diktys wil je zelf zeker houden sinds zijn vrouw dood is.
Perseus komt nooit terug, die waart al rond in de Haides
waar hij op dode vissen loert die hij hier heeft gevangen.
Wees verstandig en word mijn vrouw of het zal je berouwen.'
Diktys besloot te vluchten, ze zeilden 's nachts naar een baai toe,
afgesloten door steile klippen en ook onbereikbaar

over land door de woeste uitlopers van het gebergte.
Hier werd een lang vergeten tempel van Zeus hun schuilplaats.
Diktys wist met jagen en vissen aan voedsel te komen.
Danaë maakte van dierenvellen dekens en kleren.
Altijd bleven ze bidden en hopen dat Perseus terugkwam.
Die was wel onderweg, maar het reizen ging niet zo snel meer
samen met een vrouw en slaven en koffers vol schatten.
Vliegen was er nu niet meer bij en varen gaat langzaam.
Perseus had een zeewaardig schip en willige roeiers,
zelf was hij vertrouwd met de zee, hij wist alles van zeilen,
maar de wind en de stroming blijven onvoorspelbaar.
Boven Kreta dreef een orkaan het schip naar de kust toe.
Dertien dagen loeide de storm uit het noorden, men kon zich
zelfs op het land niet staande houden. Maar toen de vroege,
rozenvingerige Eoos de veertiende dag was verschenen,
luwde de wind en kon Perseus het schip weer in zee laten trekken.

Daarna hadden ze averij bij Kos, en bij Andros
moesten ze wel aan land gaan om een slaaf te begraven.
Eindelijk kwamen ze aan op Serifos dicht bij het huis van
Diktys. Perseus ging vooruit om zijn moeder te halen.
Toen hij van enige afstand het erf zag en de gebouwen,
wist hij dat er iets niet goed was, het huis leek verwaarloosd.
Onkruid woekerde over de stenen, de poort was verdwenen.
Ook de boot en de riemen van Diktys zag hij niet liggen.
Nergens hingen netten. Wel slingerde overal huisraad.
Hier een beker, daar een driepoot, een stuk van een tafel.
Diep verontrust liep hij verder over het oude, vertrouwde
pad naar de tuin van zijn moeder en naar de bongerd van Diktys.
Toen wist hij zeker dat er iets ontzettends gebeurd was.
Alles in de tuin was dood. Hij rende het strand op
naar de boot van een oude visser, de vriend van Diktys.
Die zou hem zeker kunnen uitleggen wat er gebeurd was.

En de visser vertelde alles in geuren en kleuren.
Ook gaf hij een houten paneeltje dat Diktys gemaakt had
voor het geval dat Perseus terugkwam, daarop stonden tekens
bij een kaartje van de kust met de baai en de tempel.
Perseus wilde het liefst meteen zijn moeder gaan zoeken.
Maar hij moest eerst naar de stad om Polydektes te doden,
voor het uitlekte dat hij weer thuis was. Hij haalde zijn tas op,
met daarin het slangenhoofd van de Gorgo Medusa,
leende bij betrouwbare vrienden een wagen met paarden,
zwaaide de zweep – en de vurige paarden renden gewillig –
reed naar het hoge paleis en ging door de galmende gangen.
Polydektes zat aan een feestmaal met al zijn vrienden,
dat waren op een paar na niet de vrienden van Perseus.
Toen de held de eetzaal binnenkwam, viel er een stilte.
Eerst wist niemand wie deze vreemdeling eigenlijk was, want
Perseus droeg een mantel uit Joppa, maar toen hij zijn naam zei:

'Machtige heerser van Serifos, hier staat Perseus van Argos!'
brulde Polydektes van het lachen. Hij smaalde:
'Kluifjes na de maaltijd. Wat had je hier nog te zoeken?
Kom je vertellen dat je Medusa niet hebt gevonden?
Had je een ander huwelijkscadeau? De kop van een zeehond?'
Perseus nam de tas van zijn schouder en zei onheilspellend:
'Kijk maar wat ik meebreng, koning. Wie mijn vriend is,
of de vriend van mijn moeder, moet zijn ogen maar neerslaan.'
Uit de tas van de nimfen trok hij het hoofd van Medusa.
En de oogleden gingen omhoog, de slangen bewogen.
Schreeuwend zonder stem zat de valse koning te staren,
tussen zijn starende vrienden, verstard in eeuwige afschuw.
Stenen beelden waren het, drinkend uit stenen bekers,
bijtend in stenen broden, kluivend aan stenen kluiven.

13

Na benauwdheid is het zoet om weer adem te halen.
Alle mensen op het eiland ademden op, want
Polydektes was dood, de tiran was dood. Leve Perseus.
Nooit meer onrecht, nooit meer willekeur. Leve Perseus.
Leve Danaë, moeder van Perseus. Leve Diktys,
broer van Polydektes maar zo goed als die slecht was.
Leve Perseus. Perseus moest hun koning maar worden.
Maar de zoon van Zeus had andere plannen. Hij wilde
koning worden van Argos als Akrisios dood was.
Daarom zei hij dat Diktys als broer van de vorige heerser
recht had op de troon en de skepter. Hij moest regeren.
Niemand was erop tegen, dus de zaak was beklonken.
Perseus ging zelf op weg om zijn moeder en Diktys te halen.
Hij vloog de kust langs, onzichtbaar voor de mensen beneden,

licht in licht en lucht in lucht en nevel in nevel.
Want hij droeg de vleugelschoenen en de verdwijnkap.
Ergens op een onherbergzame plek was de inham,
afgesloten door steile klippen en ook onbereikbaar
over land door de woeste uitlopers van het gebergte.
Daar stond de tempel van Zeus verscholen tussen de bomen.
Diktys was ooit in een storm op een wonderbaarlijke wijze
tussen de klippen door gevaren met hulp van de goden.
Tot de wind zou gaan liggen schuilde hij tussen de zuilen.
En het hechte dak beschermde hem tegen de regen.
Toen hij vluchtte met Danaë dacht hij terug aan die tempel.
Daar zou niemand hen zoeken, daar zou niemand hen vinden.
En hij kreeg gelijk. Polydektes trok over het eiland.
Hele legers kamden het bos uit en het gebergte
om de mooie Danaë en haar vriend Diktys te vinden.
Niemand had een vermoeden waar die twee konden zitten.

Ergens op een ander eiland, op Rhodos of Kreta?
Of op het vasteland, in Thebe misschien of Athene.
Of ze waren dood, verdronken, voer voor de vissen.
Na een maand geloofde geen mens meer dat ze nog leefden.
Enkel de oude vriend van Diktys wist van hun schuilplaats.
Hij bewaarde in het geheim het houten paneeltje
met een kaartje van de plek waar de tempel van Zeus stond.
Perseus daalde in de baai. Hij zag al meteen de
snelle vissersboot en de netten en riemen van Diktys.
Tussen een wirwar van struiken ontdekte hij witte pilaren.
Daar was de tempel, daar liep Diktys en daar zat zijn moeder.
'Lieve moeder, hier ben ik! Diktys, ik kom jullie halen.
Polydektes is dood, versteend door het hoofd van Medusa!'
riep de zoon van Zeus dat het schalde tussen de bergen.
Danaë huilde van vreugde, de tranen bleven maar stromen.
Schreiend omhelsde ze Perseus en Diktys kuste zijn handen.

Voor ze zouden vertrekken ging Perseus alleen naar de tempel.
Bij het altaar legde hij schoenen, tas en verdwijnkap.
Dat was de veiligste plaats om de schatten achter te laten.
Hermes zou ze daar zeker halen, een god vindt alles,
om ze snel naar de nimfen van het noorden te brengen.
Maar het hoofd van Medusa was bestemd voor Athene.
Zij zou het vasthechten aan het schild van haar machtige vader.
Diktys riep. Ze klommen aan boord en roeiden de baai uit.
Pallas Athene stuurde een gunstige wind, die kwam fluitend
over de paarse zee en het schip sneed snel door de golven.
Maar het Gerucht was sneller, zij ging rond op het eiland:
'Perseus komt eraan met Diktys. Daar is het schip al.'
Dus aan de haven wachtte een wagen met vurige paarden,
mensen op de kade en voor de stadsmuren juichten.
'Leve Diktys. Leve Diktys. Leve de koning.'
Diktys reed in galop naar het hoge paleis van zijn vader

en hij vond zijn broer Polydektes versteend in de eetzaal.
Ondanks alles moest hij huilen. Zijn broer was gestorven.
Tijdens de kroningsfeesten van Diktys was er een wedkamp,
jonge mannen van alle eilanden uit de omgeving
streden om de eer en ook om de prachtige prijzen.
Weer gooide Perseus de discus verder dan alle atleten.
En het Gerucht vloog op snelle vleugels over het water,
ging door het land van Argos over straten en pleinen.
'Perseus, de zoon van Danaë, heeft Medusa verslagen
en Polydektes van Serifos die zijn moeder belaagde.
Sterk dat hij is! Hij heeft de gouden beker gewonnen
tijdens de grote kroningsfeesten van koning Diktys.
Sterk als een beer, die zoon van Danaë, sterk als een bergleeuw.
Hij gooit een discus verder dan een sportveld lang is.
Heb je het al gehoord? Perseus komt zeker naar Argos
met zijn vrouw en zijn moeder om de troon op te eisen.'

Koning Akrisios hoorde het nieuws en zijn kwade geweten
dreef hem weg van Argos naar een stad in het noorden.
Daar in Larissa had hij vrienden, daar was hij veilig.
Dus toen Perseus aankwam met zijn vrouw en zijn moeder,
vond hij in Argos een leeg paleis en niemand kon zeggen
waar de oude koning Akrisios was gebleven,
of hij nog leefde of misschien dood was en onder de aarde.
Danaë wees haar zoon de onderaardse kerker,
donker en somber met bronzen deuren en zonder ramen.
En ze bezocht de plaatsen waar ze als meisje gespeeld had.
Toen ze op het strand van de zee net als heel lang geleden
bloemen legde van steentjes, huilde ze bittere tranen.
Want haar leven was anders verlopen dan ze gehoopt had.
Maar in Argos vierde men feest bij de kroning van Perseus.
Schitterend waren de wedstrijden, prachtig waren de prijzen.
Vorsten van alle eilanden, zelfs uit Athene en Sparta,

streden om de eer en Perseus maakte veel vrienden.
Een van die nieuwe vrienden kwam uit de stad Larissa
waar de oude Akrisios zijn toevlucht gezocht had.
Toen die vriend niet veel later doodging, reisde Perseus
naar het verre noorden voor de begrafenisfeesten.
En hij deed mee aan de wedstrijden om de dode te eren.
Bij het discuswerpen schoot de discus zijn hand uit,
zoefde door de lucht en raakte op de tribune
tussen de toeschouwers koning Akrisios, die zat te kijken.
Zo kwam het oude orakel uit, hij stierf door zijn kleinzoon
en het leven verliet het gebeente, zijn schim vloog naar Haides.
Perseus begroef zijn grootvader en hij gaf hem een tombe.
Daarna leefde hij lang en gelukkig in Argos. Hij werd een
herder voor zijn volk, een goede, rechtvaardige koning,
en zijn vrouw Andromeda was geliefd bij de mensen.
Samen kregen ze mooie dochters en krachtige zonen.

Aan het eind van hun dagen kwam de dood als een vriend en
Hermes bracht hen naar Haides. Zeus, de god van de donder,
zette sterrenbeelden aan de boog van de hemel
om te maken dat hun namen niet werden vergeten.
En zo lang er mensen naar de nachthemel kijken
zien ze het sterrenbeeld van Andromeda en dat van Perseus,
zoon van Zeus, de god van donder, bliksem en regen.

## Bronnen

De oude Griekse volksverhalen over goden en helden noemen we mythen. Hoe oud de mythe van Perseus wel is, kunnen we niet meer achterhalen. Voorzover we weten zijn de mythen pas voor het eerst opgetekend in de zesde eeuw voor Christus.

De klassieke schrijvers Apollodoros en Ovidius hebben uitgebreid over Perseus geschreven.

Een enkel fragment dat betrekking heeft op Perseus of zijn familie komt voor bij: Homeros, Pindaros, Simonides en Euripides.

Hesiodos schreef over het ontstaan van de wereld, over de goden en de vijf mensengeslachten.

Herodotos vermeldde de Perseusverering in Egypte.

# Namenlijst

De klemtoon valt op de klinker die schuin is gedrukt.
N.B. eu = ui en de z = dz (dus Persuis, Dzuis, Epimethuis, Promethuis)

Afrod*i*te, godin van de liefde, dochter van Zeus en de nimf Dione.

Aig*y*ptos, naam van de koning van Egypte. Ook de naam van het land zelf en van de rivier die nu de Nijl heet. Aigyptos was de tweelingbroer van Danaos. Hij nam stelselmatig land van zijn broer in beslag en wilde het hele rijk in zijn macht krijgen door zijn vijftig zoons met de vijftig dochters van Danaos te laten trouwen. In de mythologie is er vaak oorlog tussen tweelingbroers. Ook Akrisios en zijn tweelingbroer stonden elkaar naar het leven. Ze werden vechtend geboren.

Akr*i*sios, koning van Argos, grootvader van Perseus.

Andr*o*meda, prinses van Joppa, vrouw van Perseus. Nu de naam van een sterrenbeeld.

Andros, eilandje in de buurt van Naxos.

Ap*o*llon, in het Latijn Apollo, zoon van Zeus, god van kunst en muziek. Zijn tweelingzuster is Artemis, godin van de natuur en de jacht.

Argos, waakhond met honderd ogen.

Argos, land aan de oostkust van de Peloponnesos.

Artemis, godin van de natuur en de jacht. Tweelingzuster van Apollon.

Ath*e*ne, dochter van Zeus. Ze werd met de speer al in de hand geboren uit zijn hoofd en heeft dus geen moeder. Athene is de godin van de wijsheid.

Atlas, Titaan die tegen Zeus vocht en voor straf de hemel boven de aarde moet torsen. Aan zijn voeten staat de boom met de gouden appels die door de Hesperiden en een honderdkoppige slang worden bewaakt. De Hesperiden kunnen zich in bomen veranderen als er reizigers in de buurt komen. De gouden appels zijn van de godin Hera.

Belos, zoon van Poseidon, voorvader van Perseus.

Chemnis, stad in Egypte waar de familie van Perseus vandaan komt.

Danaë, moeder van Perseus.

Danaïden, de vijftig dochters van Danaos die gedwongen werden te trouwen met hun neven, de vijftig zoons van Aigyptos (zie daar). Danaos vluchtte met zijn dochters naar Argos waar het verboden was meisjes tot een huwelijk te dwingen, maar toen Aigyptos Argos wilde aanvallen ging de bruiloft toch door. Negenenveertig bruiden vermoordden hun man in de bruidsnacht met de dolk die hun vader onder hun bruidskleed had meegegeven. Perseus is een afstammeling van de enige bruidegom die de bruidsnacht overleefde.

Danaos, voorvader van Perseus, tweelingbroer van de agressieve Aigyptos. Hij vluchtte naar Argos met zijn vijftig dochters.

Delfi, heilige stad in het noorden met een beroemd orakel. De Grieken noemden Delfi: de navel van de wereld.

Delos, heilig eiland waar Apollon en Artemis werden geboren.

Demeter, godin van de vruchtbare akkers en de oogst.

Diktys, visser op het eiland Serifos, broer van de valse koning Polydektes. Beschermer van Danaë en Perseus. Later koning van Serifos.

Dodona, stad in het noordwesten van Griekenland met de heilige eiken waarin Zeus orakels fluistert.

Eoos, de rozenvingerige godin van het eerste daglicht. Ze vroeg of Tithonos, haar man, eeuwig mocht blijven leven maar vergat te vragen of hij ook eeuwig jong mocht blijven.

Epimetheus, Titanenzoon die de gaven mocht verdelen onder de levende wezens. Hij begon met de dieren en hield niets over voor de mensen. Zijn naam betekent: denken na het doen.

Ethiopië, toen heel Afrika van het oosten naar het westen.

Europa, prinses uit Sidon die ontvoerd werd door Zeus. Hij had de gedaante aangenomen van een prachtige stier. Hij nam Europa op zijn rug mee en bracht haar over zee naar Kreta. Daar trouwde ze met een koning, maar ze gaf Zeus drie beroemde zonen.

Forkys, zeegod, vader van Medusa en haar zusters.

Gorgo, een monster.

Grijzen, drie grijze zusters die samen één oog en één tand moeten delen.

Haides, in het Latijn Hades, een broer van Zeus. Hij wordt ook Plouton genoemd: de Rijke. Zijn huis onder de aarde heet ook Haides.

Harpijen, vogelachtige monsters met vrouwenhoofden.

Helios, god van de zon die alles hoort en alles ziet.

Hermes, zoon van Zeus en de nimf Maia, god van de handel. Hij kan met zijn gouden staf mensen in slaap brengen en wakker maken en hij vergezelt de doden naar de Haides.

Hesperiden, nimfen die de gouden appels van Hera bewaken aan de voeten van Atlas.

Hippodameia, een prinses, de naam betekent: paardentemster.

Joppa, plaats aan de kust van Syrië.

Kassiopeia, moeder van Andromeda. Nu de naam van een sterrenbeeld.

Kefeus, vader van Andromeda, koning van Joppa. Nu de naam van een sterrenbeeld.

Kos, Grieks eiland.

Kronos, Titaan, vader van Zeus.

Kyllene, berg waar Hermes geboren werd.

Larissa, land in het noorden van Griekenland.

Medusa, een van de drie mooie dochters van koning Forkys, ze beledigde Athene en werd in een Gorgo veranderd.

Moiren, de drie schikgodinnen die beslissen over het leven van de mens, de een spint zijn levensdraad, de tweede meet de lengte af en de derde knipt de draad door.

Muzen, de negen dochters van Zeus en de nimf Herinnering, beschermgodinnen van de kunsten.

Okeanos, de woeste slang van water die volgens de Grieken om de aarde heen lag en waarin alle zeeën en rivieren uitkwamen, in het Latijn Oceaan. Later de naam voor de wereldzeeën.

Olympos, hoge berg waarop het paleis van Zeus stond.

Pallas, erenaam van Athene, zij doodde de reus Pallas in een grote oorlog van de goden.

Parnassos, berg waar de Muzen wonen.

Pegasos, gevleugeld paard; zijn moeder was Medusa, zijn vader de zeegod Poseidon. Nu de naam van een sterrenbeeld.

Pelops, zoon van koning Tantalos. Hij werd geslacht door zijn vader en opgediend aan de goden om hen op de proef te stellen. Alleen Demeter at per ongeluk een stuk van de schouder. De goden brachten Pelops weer tot leven en Hefaistos (de manke zoon van Zeus en Hera) smeedde een zilveren schouder voor hem. Tantalos moet in de onderwereld eeuwig honger en dorst lijden.

Persefoneia, dochter van Demeter en Zeus, vrouw van Haides.

Perseus, zoon van Zeus en Danaë. Nu de naam van een sterrenbeeld.

Polydektes, koning van Serifos, broer van Diktys.

Poseidon, god van de zee, broer van Zeus, voorvader van Perseus.

Prometheus, Titanenzoon die het vuur aan de mensen bracht. Zijn naam betekent: denken voor het doen.

Rheia, vrouw van Kronos, moeder van Zeus.

Selene, de maan.

Serifos, eiland in de buurt van Argos.

Sisyfos, koning die geheimen van de goden verraadde en de dood in de boeien sloeg zodat er niemand meer kon sterven. Hij moet in de onderwereld een zware steen een berg op rollen. De steen valt op het laatste moment altijd weer naar beneden.

Sparta, stad op de Peleponnesos.

Styx, rivier in de onderwereld waar de goden bij zweren.

Tantalos, vader van Pelops. Zie daar.

Tartaros, de diepste afgrond.

Thebe, stad met de zeven poorten ten noorden van Athene.

Titanen, de twaalf oergoden.

Wielogen (kyklopen), monsterlijke reuzen met een enkel oog in het voorhoofd.

Wraakgodinnen (Erinyen), die misdadigers achtervolgen en tot waanzin drijven.

Zeus, de machtigste god, jongste zoon van de Titaan Kronos.

bij uitgeverij Querido
*De zomer van dat jaar* (kinderboek, 1980) Zilveren Griffel 1981
*Lange maanden* (jeugdboek, 1982)
*En een tijd van vrede* (kinderboek, 1983) Nienke van Hichtum-
    prijs 1983
*De trimbaan* (jeugdboek, 1987) Zilveren Griffel 1988
*De reizen van de slimme man* (jeugdboek, 1988) Zilveren Griffel
    1989
*Een heel lief konijn* (kinderboek, 1992) Libris Woutertje Pieterse
    Prijs 1993 voor de illustraties van Jaap Lamberton
*Van een vrouw die een huisje bouwde in haar buik* Met prenten
    van Juul van den Heuvel (kinderboek, 1992)
*De jongen met de kip* (kinderboek, 1993)
*De blauwe stoel, de ruziestoel* Met tekeningen van Harrie Geelen
    (kinderboek, 1993) Zilveren Griffel 1994
*Odysseus. Een man van verhalen* (jeugdboek, 1994) Zilveren
    Griffel 1995
*Ongelukkig verliefd* (jeugdboek, 1994)
*Morgen ga ik naar China* Met prenten van Harrie Geelen
    (kinderboek, 1995) Zilveren Griffel 1996
*Repelsteel en andere stukken* (toneel, 1996)
*Dag soldaat, dag mooie soldaat* (kinderboek, 1996)
*Lievepop en Lappenpop* (prentenboek, 1996)

*JeugdSalamander

vertaald door Imme Dros
Homeros *Odysseia. De reizen van Odysseus* (1991)

bij uitgeverij Van Holkema & Warendorf

*Annetje Lie in het holst van de nacht* Met tekeningen van
    Margriet Heymans (kinderboek, 1987) Libris Woutertje
    Pieterse Prijs 1988, Gouden Penseel 1988, Zilveren Griffel 1988

*Roosje kreeg een ballon* Met tekeningen van Harrie Geelen
    (prentenboek, 1989) Zilveren Griffel 1990

*De O van opa* Met tekeningen van Harrie Geelen (prentenboek,
    1990) Zilveren Griffel 1991

*Ik wil die!* Met tekeningen van Harrie Geelen (prentenboek,
    1991) Zilveren Griffel 1992

*De huiveringwekkende mythe van Perseus* werd door Em. Querido's Uitgeverij B.V. geproduceerd voor de Stichting Collectieve Propaganda van het
Nederlandse Boek in het kader van de Kinderboekenweek 1996.

Omslag: Barbara van Dongen Torman
Omslagillustratie: Harrie Geelen
Zetwerk: Slothouwer Produkties, Amsterdam
Druk: Giethoorn, Meppel
Papier: Arjo Wiggins 'Libris' 80 grams houtvrij romandruk van
Proost & Brandt, 100% chloorvrij geproduceerd
Bindwerk: Binderij De Haan, Zwolle
Lithografie: Scan 4, Enschede

*Copyright text* © *1996 by Imme Dros. Copyright illustrations* © *1996 by
Harrie Geelen.* Niets uit deze uitgave mag worden verveelvoudigd en/of
openbaar gemaakt, door middel van druk, fotokopie, microfilm of op welke andere wijze ook, zonder voorafgaande schriftelijke toestemming van
Em. Querido's Uitgeverij B.V., Singel 262, 1016 AC Amsterdam. *No part of
this book may be reproduced in any form, by print, photoprint, microfilm or
any other means, without written permission from Em. Querido's Uitgeverij
B.V., Singel 262, 1016 AC Amsterdam.*

ISBN 90 7433 629 9